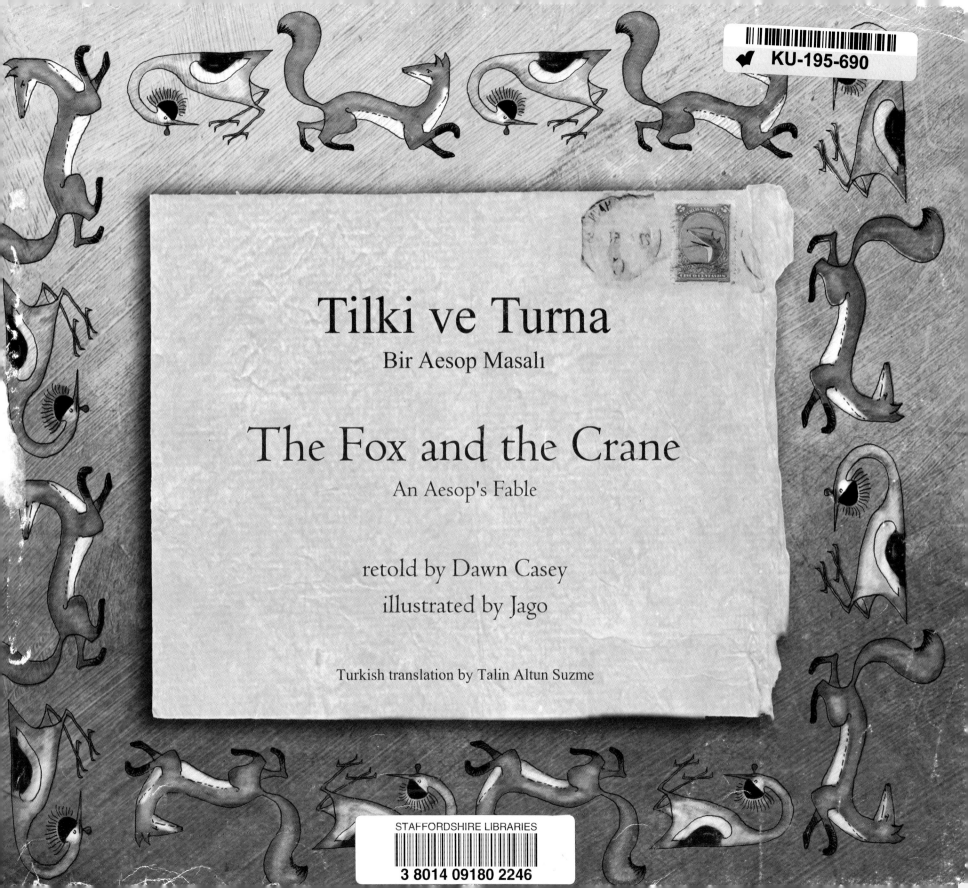

Tilki ve Turna

Bir Aesop Masalı

The Fox and the Crane

An Aesop's Fable

retold by Dawn Casey

illustrated by Jago

Turkish translation by Talin Altun Suzme

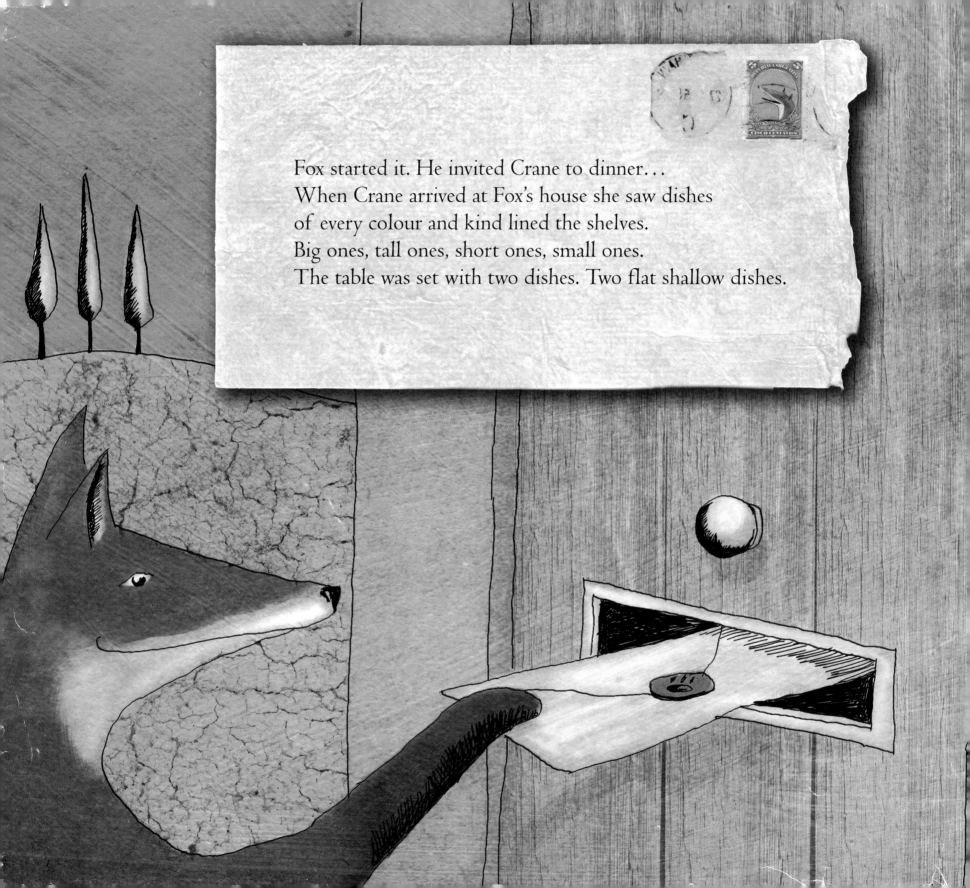

Fox started it. He invited Crane to dinner...
When Crane arrived at Fox's house she saw dishes
of every colour and kind lined the shelves.
Big ones, tall ones, short ones, small ones.
The table was set with two dishes. Two flat shallow dishes.

Tilki başlattı. Turna'yı evine akşam yemeğine davet etti…
Turna Tilki'nin evine vardığında raflarda renk renk, çeşit çeşit tabaklar gördü. Büyük tabaklar, uzun tabaklar, kısa tabaklar, küçük tabaklar. Sofrada iki tane tabak vardı. İki tane düz ve sığ tabak.

Turna uzun gagasıyla gagaladı ve çabaladı. Ama her ne kadar uğraştıysa da çorbadan bir içim alamadı.

  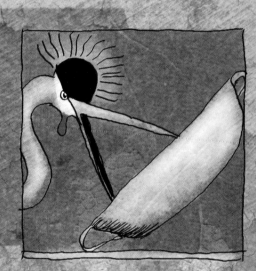

Crane pecked and she picked with her long thin beak. But no matter how hard she tried she could not get even a sip of the soup.

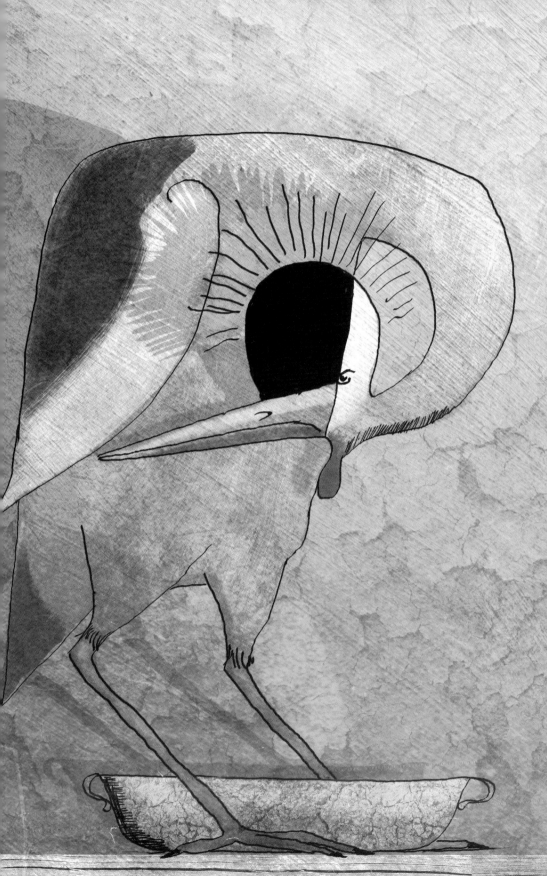

Tilki Turnanın çabalayışını seyretti ve bıyıklarının altından güldü. Kendi tabağını azına götürdü ve ŞAP, ŞUP, ŞLOP, hepsini birden şapırdattı. "Aaaa, çok lezzetliydi!" diye övündü, bıyıklarını patisinin arkasıyla silerek. "Turna, yemeğine dokunmamışsın bile," dedi Tilki sırıtrarak. "Beğenmediğine GERÇEKTEN çok üzüldüm," dedi gülmemeye çalışarak.

Fox watched Crane struggling and sniggered. He lifted his own soup to his lips, and with a SIP, SLOP, SLURP he lapped it all up. "Ahhhh, delicious!" he scoffed, wiping his whiskers with the back of his paw. "Oh Crane, you haven't touched your soup," said Fox with a smirk. "I AM sorry you didn't like it," he added, trying not to snort with laughter.

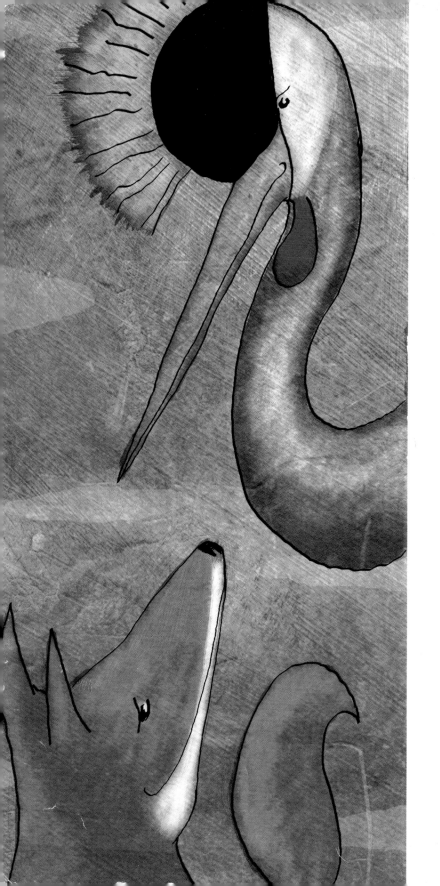

Turna hiçbir şey demedi. Yemeğe baktı. Tabağa baktı. Tilkiye baktı ve gülümsedi.
"Sevgili Tilki, bu iyiliğin için çok teşekkür ederim," dedi Turna kibarca. "Lütfen izin ver ben de karşılığını vereyim – benim evime akşam yemeğine gel."

Tilki geldiğinde pencere açıktı. Dışarıya lezzetli kokular taşıyordu. Tilki burnunu kaldırdı ve kokladı. Ağzı sulandı. Karnı guruldadı. Dudaklarını yaladı.

Crane said nothing. She looked at the meal. She looked at the dish. She looked at Fox, and smiled.
"Dear Fox, thank you for your kindness," said Crane politely. "Please let me repay you – come to dinner at my house."

When Fox arrived the window was open. A delicious smell drifted out. Fox lifted his snout and sniffed. His mouth watered. His stomach rumbled. He licked his lips.

"Sevgili Tilki, lütfen içeri gel," dedi
Turna nazikçe kanadını uzatarak.
Tilki iteleyerek içeri girdi. Raflarda
renk renk, çeşit çeşit tabaklar gördü.
Kırmızı tabaklar, mavi tabaklar, eski
tabaklar, yeni tabaklar.
Sofrada iki tane tabak vardı.
İki tane uzun ve dar tabak.

"My dear Fox, do come in," said Crane,
extending her wing graciously.
Fox pushed past. He saw dishes of
every colour and kind lined the shelves.
Red ones, blue ones, old ones, new ones.
The table was set with two dishes.
Two tall narrow dishes.

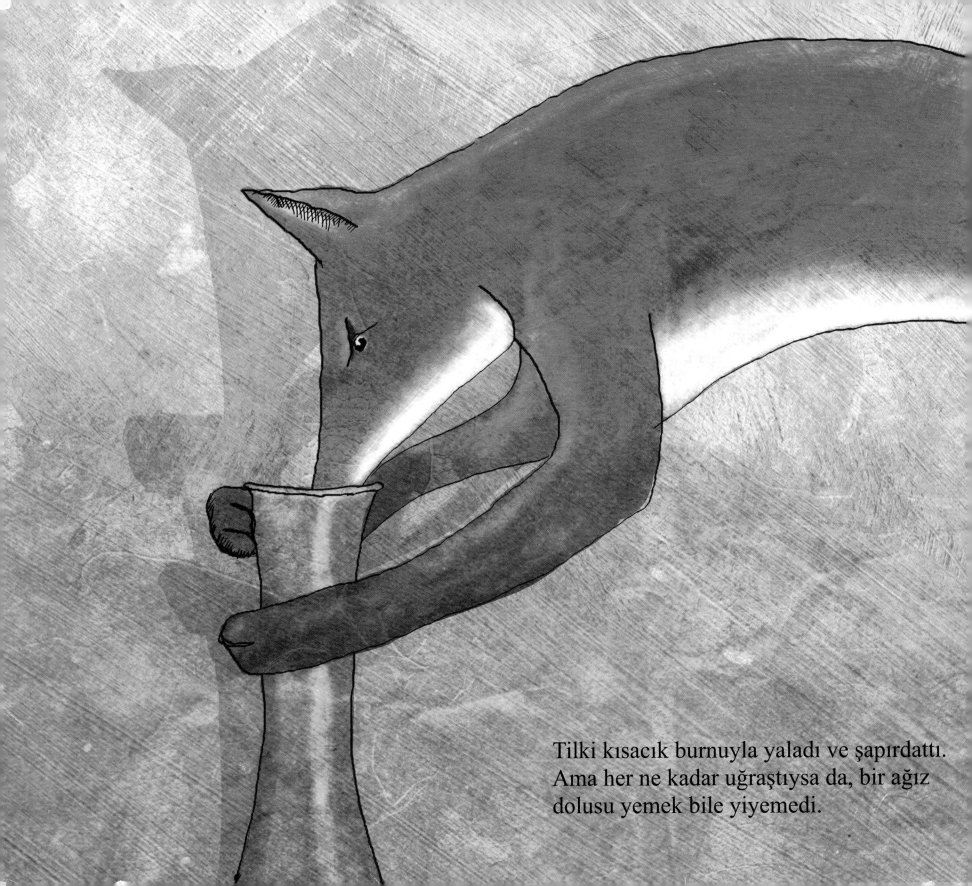

Tilki kısacık burnuyla yaladı ve şapırdattı.
Ama her ne kadar uğraştıysa da, bir ağız
dolusu yemek bile yiyemedi.

Fox licked and he lapped with his short little snout.
But no matter how hard he tried he could not
get even a mouthful of the meal.

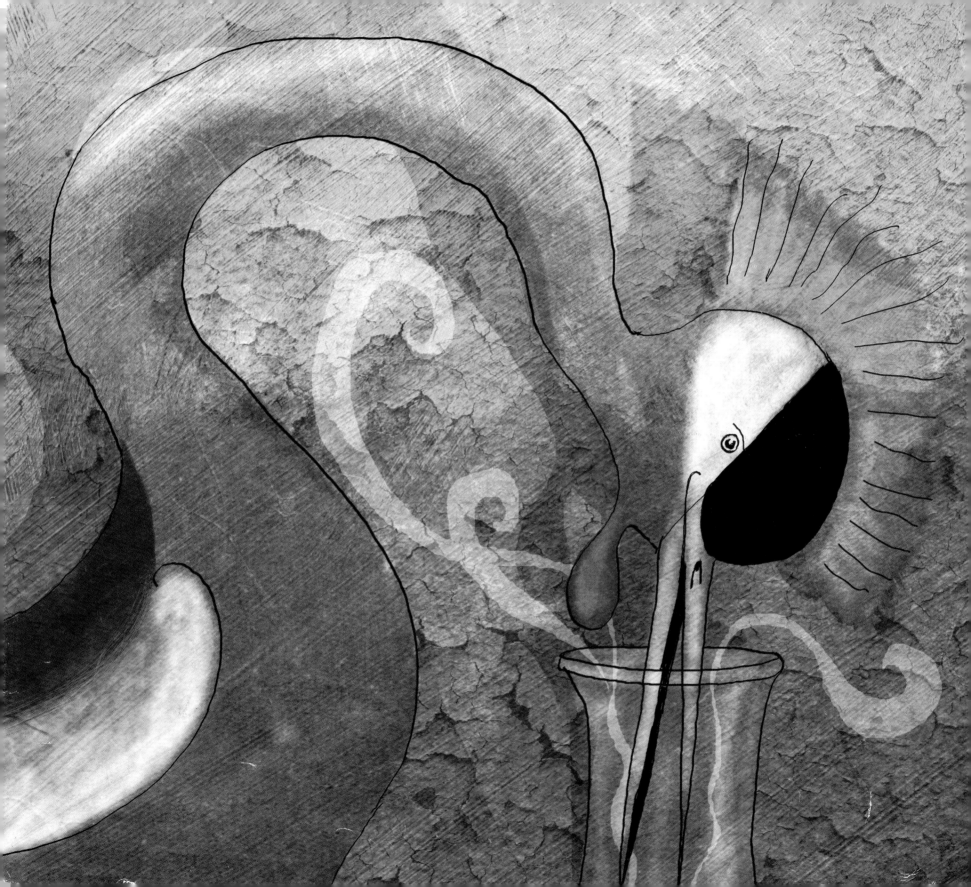

Turna yemeğini yavaşça, her bir lokmanın tadını çıkararak, yedi.
"Sevgili Tilki, geldiğin için çok teşekkür ederim," dedi bir
tebessümle, "nezaketine karşılık verebilmek gerçekten büyük
bir zevkti."

Tilki'nin karnı guruldadı ve homurdandı.
Ve Tilki eve gittiğinde karnı hala açdı.

Crane ate her meal very slowly, savouring every mouthful.
"Dear Fox, thank you so much for coming," she smiled,
"it has been a pleasure to repay your kindness."

Fox's tummy gurgled and grumbled.
And when he went home, he was still hungry.

The Fox and the Crane

Writing Activity:
Read the story. Explain that we can write our own fable by changing the characters.

Discuss the different animals you could use, bearing in mind what different kinds of dishes they would need! For example, instead of the fox and the crane you could have a tiny mouse and a tall giraffe.

Write an example together as a class, then give the children the opportunity to write their own. Children who need support could be provided with a writing frame.

Art Activity:
Dishes of every colour and kind! Create them from clay, salt dough, play dough… Make them, paint them, decorate them…

Maths Activity:
Provide a variety of vessels: bowls, jugs, vases, mugs… Children can use these to investigate capacity:

Compare the containers and order them from smallest to largest.

Estimate the capacity of each container.

Young children can use non-standard measures e.g. 'about 3 beakers full'.

Check estimates by filling the container with coloured liquid ('soup') or dry lentils.

Older children can use standard measures such as a litre jug, and measure using litres and millilitres. How near were the estimates?

Label each vessel with its capacity.

The King of the Forest

Writing Activity:
Children can write their own fables by changing the setting of this story. Think about what kinds of animals you would find in a different setting. For example how about 'The King of the Arctic' starring an arctic fox and a polar bear!

Storytelling Activity:
Draw a long path down a roll of paper showing the route Fox took through the forest. The children can add their own details, drawing in the various scenes and re-telling the story orally with model animals.

If you are feeling ambitious you could chalk the path onto the playground so that children can act out the story using appropriate noises and movements! (They could even make masks to wear, decorated with feathers, woollen fur, sequin scales etc.)

Music Activity:
Children choose a forest animal. Then select an instrument that will make a sound that matches the way their animal looks and moves. Encourage children to think about musical features such as volume, pitch and rhythm. For example a loud, low, plodding rhythm played on a drum could represent an elephant.

Children perform their animal sounds. Can the class guess the animal?

Children can play their pieces in groups, to create a forest soundscape.

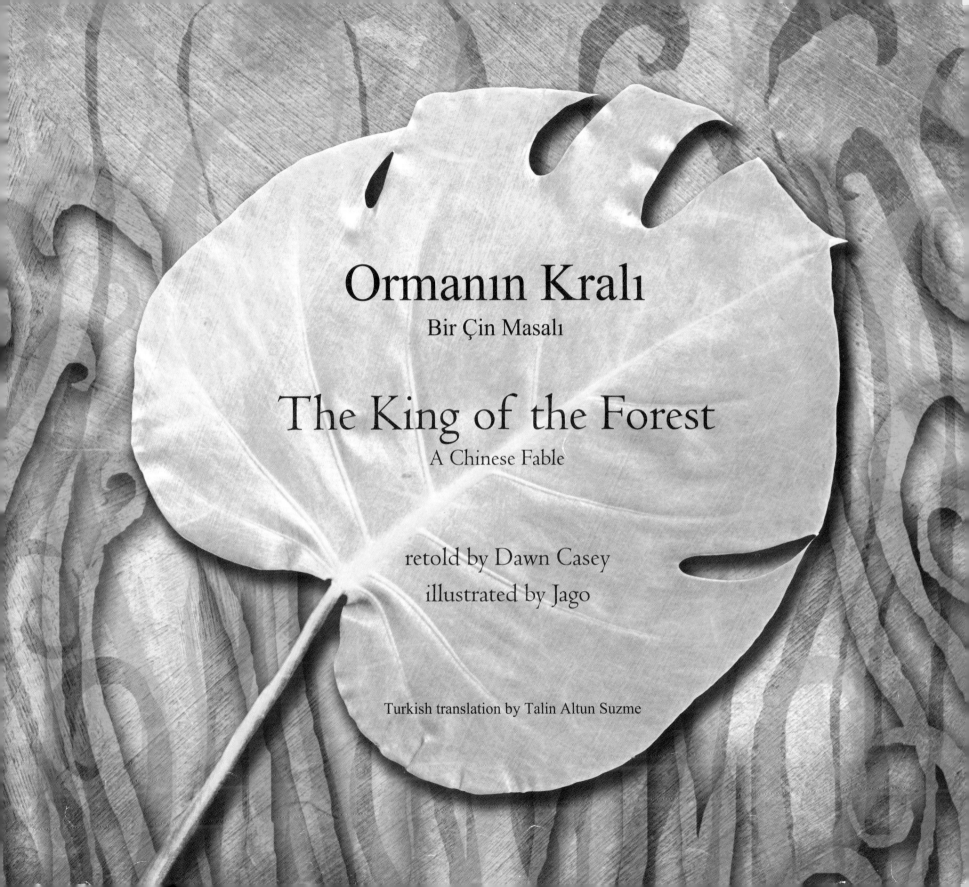

Ormanın Kralı

Bir Çin Masalı

The King of the Forest

A Chinese Fable

retold by Dawn Casey

illustrated by Jago

Turkish translation by Talin Altun Suzme

Tilki ormanda yürüken uzun çimlerin arasından birşeyin hareket ettiğini duydu.

BİR HIŞIRTI   Büyük birşey.
BİR BAKIŞ   Sarı gözleri olan birşey.
BİR IŞILTI   Bıçak gibi dişleri olan birşey.

Fox was walking in the forest when he heard something moving in the long grass.

RUSTLE   Something big.
BLINK   Something with yellow eyes.
FLASH   Something with teeth like knives.

"Günaydın küçük Tilki," dedi Kaplan ve ağzında dişten başka birşey yoktu.
Tilki yutkundu.
"Seninle tanıştığıma çok memnun oldum," diye mırıldandı Kaplan. "Ben de tam acıkmaya başlıyordum."
Tilki hemen düşündü. "Bu ne cürret!" dedi. "Benim Ormanın Kralı olduğumu bilmiyormusun?"
"Sen! Ormanın Kralı mı?" dedi Kaplan gülerek yerlere yatarak.
"Bana inanmıyorsan," diye cevap verdi Tilki bütün itibariyle, "arkamdan yürü ve göreceksin – herkes benden korkar."
"İşte bunu görmeliyim," dedi Kaplan.
Ve Tilki ormanın içinde yürümeye başladı. Kaplan, kuyruğu yukarıda, gururla yürümeye başladı, ta ki…

"Good morning little fox," Tiger grinned, and his mouth was nothing but teeth.
Fox gulped.
"I am pleased to meet you," Tiger purred. "I was just beginning to feel hungry."
Fox thought fast. "How dare you!" he said. "Don't you know I'm the King of the Forest?"
"You! King of the Forest?" said Tiger, and he roared with laughter.
"If you don't believe me," replied Fox with dignity, "walk behind me and you'll see – everyone is scared of me."
"This I've got to see," said Tiger.
So Fox strolled through the forest. Tiger followed behind proudly, with his tail held high, until…

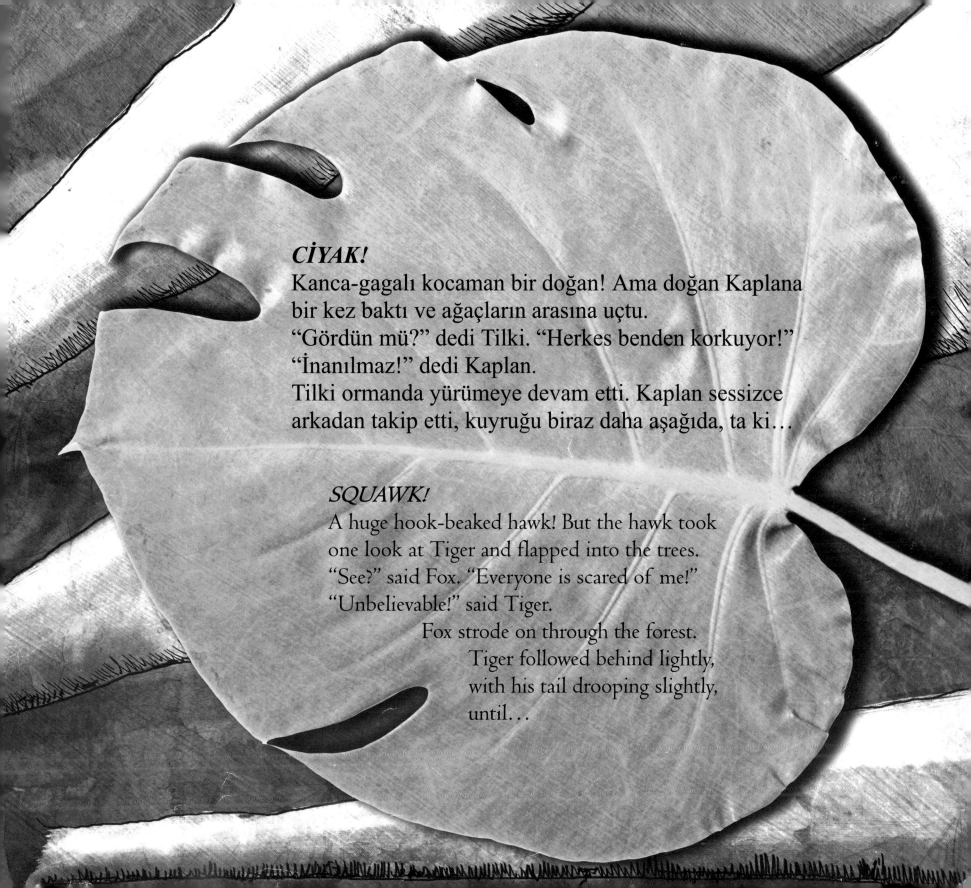

CİYAK!

Kanca-gagalı kocaman bir doğan! Ama doğan Kaplana
bir kez baktı ve ağaçların arasına uçtu.
"Gördün mü?" dedi Tilki. "Herkes benden korkuyor!"
"İnanılmaz!" dedi Kaplan.
Tilki ormanda yürümeye devam etti. Kaplan sessizce
arkadan takip etti, kuyruğu biraz daha aşağıda, ta ki…

SQUAWK!

A huge hook-beaked hawk! But the hawk took
one look at Tiger and flapped into the trees.
"See?" said Fox. "Everyone is scared of me!"
"Unbelievable!" said Tiger.
Fox strode on through the forest.
Tiger followed behind lightly,
with his tail drooping slightly,
until…

GRRRR!

Kocaman siyah bir ayı! Ama ayı Kaplana bir kez baktı
ve çalılıkların arasına düştü.

"Gördün mü?" dedi Tilki. "Herkes benden korkuyor!"

"İnanılmaz!" dedi Kaplan.

Tilki ormanda ilerlemeye devam etti. Kaplan uysalca
arkadan takip etti, kuyruğu yerlerde sürtünerek, ta ki…

GROWL!

A big black bear! But the bear took one look
at Tiger and crashed into the bushes.

"See?" said Fox. "Everyone is scared of me!"

"Incredible!" said Tiger.

Fox marched on through the forest. Tiger
followed behind meekly, with his tail
dragging on the forest floor, until…

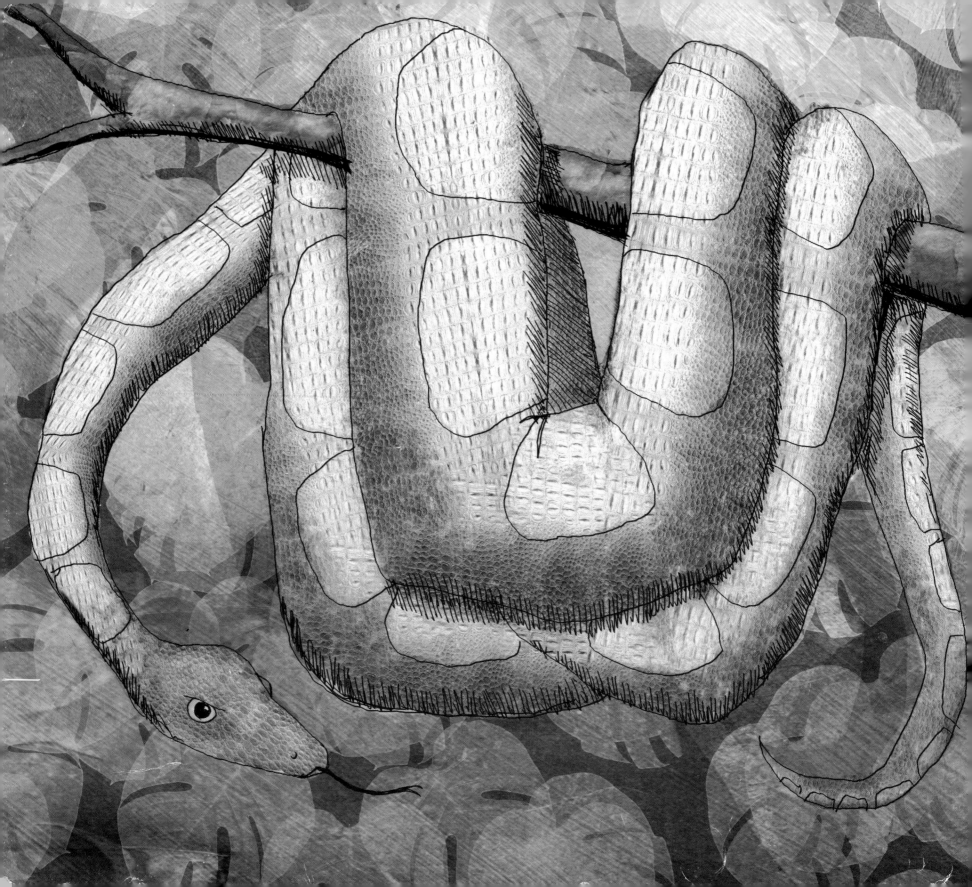

SSSSSSSS!
İncecik ve kaygan bir yılan. Ama yılan Kaplana bir kez baktı ve yerdeki yeşilliklerin arasına kayboldu. "GÖRDÜN MÜ?" dedi Tilki. "HERKES BENDEN KORKUYOR!"

HISSSSSSS!
A slinky slidey snake! But the snake took one look at Tiger and slithered into the undergrowth. "SEE?" said Fox. "EVERYONE IS SCARED OF ME!"

"Görüyorum," dedi Kaplan, "sen Ormanın Kralısın ve ben de senin kulunum."
"İyi," dedi Tilki. "Simdi yok ol!"

Ve Kaplan, kuyruğu bacaklarının arasında, gitti.

"I do see," said Tiger, "you are the King of the Forest and I am your humble servant."
"Good," said Fox. "Then, be gone!"

And Tiger went, with his tail between his legs.

"Ormanın Kralı," dedi Tilki kendi kendine bir tebessümle. Tebessümü sırıtmaya döndü ve sırıtması da gülümsemeye ve Tilki eve gidene kadar kahkahalar attı.

"King of the Forest," said Fox to himself with a smile. His smile grew into a grin, and his grin grew into a giggle, and Fox laughed out loud all the way home.

To my Nana, with love - DC

For my wife, Alex - J

First published in 2006 by Mantra Lingua Ltd
Global House, 303 Ballards Lane
London N12 8NP
www.mantralingua.com

A CIP record for this book is available from the British Library